D1133446

COMBATS
ET MÉTAMORPHOSES
D'UNE FEMME

DU MÊME AUTEUR

Pierre Bourdieu : l'insoumission en héritage
(sous la direction d'Édouard Louis)
PUF, 2013 et 2016

En finir avec Eddy Bellegueule
Seuil, 2014
et « Points », n° P4092

Histoire de la violence
Seuil, 2016
et « Points », n° P4466

Qui a tué mon père
Seuil, 2018
et « Points », n° P5046

Au Cœur de la violence
(avec Thomas Ostermeier)
Seuil, 2019
et « Points », n° P5296

Changer : méthode
Seuil, 2021

Dialogue sur l'art et la politique
(avec Ken Loach)
PUF, 2021

Édouard Louis

COMBATS ET MÉTAMORPHOSES D'UNE FEMME

Éditions du Seuil

ISBN 978-2-7578-9472-9

I

Tout a commencé par une photo. Je ne savais pas que cette image existait et que je la possédais – qui me l'a donnée, et quand ?

La photo était prise par elle l'année de ses vingt ans. J'imagine qu'elle avait dû tenir l'appareil à l'envers pour saisir son propre visage dans l'objectif. C'était une époque où les téléphones portables n'existaient pas et où se photographier soi-même n'était pas une chose évidente.

Elle penchait la tête sur le côté et elle souriait légèrement, ses cheveux peignés et plaqués sur son front, impeccables, ses cheveux blonds autour de ses yeux verts.

C'était comme si elle cherchait à séduire.

Je ne trouve pas les mots pour l'expliquer mais tout, dans sa pose, dans son regard, dans le mouvement de ses cheveux, évoque la liberté sur ce cliché, l'infinité des possibles devant soi, et peut-être, aussi, le bonheur.

J'avais oublié, je crois, qu'elle avait été libre avant ma naissance – heureuse ?

J'avais dû y penser quand je vivais encore avec elle, parfois, un jour elle avait forcément dû être jeune et pleine de rêves, mais quand j'ai retrouvé cette photo je n'y avais plus pensé depuis longtemps, c'était une connaissance, un savoir trop abstrait. Rien ou presque de ce que j'ai connu d'elle dans mon enfance, au contact de son corps pendant quinze ans, n'aurait pu me le rappeler.

En voyant cette image j'ai senti le langage disparaître de moi. De la voir libre, projetée de tout son corps vers le futur, m'a fait revenir en tête les années de sa vie partagées avec mon père, les humiliations venues de lui, la pauvreté, vingt années de sa vie mutilées et presque détruites par la violence masculine et la misère, entre vingt-cinq et quarante-cinq ans, à l'âge où d'autres expérimentent la vie, la liberté, les voyages, l'apprentissage de soi.

De voir cette photo m'a rappelé que ces vingt années de vie détruites n'étaient pas quelque chose de naturel, mais qu'elles avaient eu lieu par l'action de forces extérieures à elle – la société, la masculinité, mon père – et que les choses auraient donc pu *être autrement*.

La vision du bonheur m'a fait ressentir l'injustice de sa destruction.

J'ai pleuré devant cette image parce que j'ai été, malgré moi, ou peut-être, plutôt, avec elle, et parfois contre elle, l'un des acteurs de cette destruction.

Le jour de la dispute avec mon petit frère – c'était l'été. Je rentrais d'un après-midi passé sur les marches de la mairie du village et une dispute a éclaté avec mon plus jeune frère devant toi. Au milieu des cris et des injures, mon frère m'a dit en cherchant l'intonation la plus blessante possible, De toute façon tout le monde se fout de ta gueule derrière ton dos dans le village. Tout le monde dit que t'es un pédé.

Ce n'est pas tellement ce qu'il a dit qui m'avait blessé, ou le fait que je savais que c'était vrai, mais le fait qu'il l'avait dit en ta présence.

J'ai marché jusque dans ma chambre, j'ai saisi la bouteille de sable coloré posée sur mon armoire, je suis revenu vers mon petit frère et je l'ai fracassée sur le sol, devant lui. C'était une bouteille qu'il avait confectionnée à l'école. L'institutrice avait proposé aux enfants dans sa classe de plonger des grains de sable dans des colorants puis de remplir des bouteilles de Coca avec ces grains pour en faire des objets multicolores ; elle avait demandé à mon petit frère pour qui il voulait faire sa bouteille et c'est moi qu'il avait choisi, c'était pour moi qu'il s'était donné du mal, pour moi qu'il avait passé une journée entière à fabriquer cet objet.

Quand j'ai fracassé la bouteille à ses pieds il a poussé un cri aigu et il a pleuré, le visage invisible, tourné contre la banquette du canapé. Tu t'es approchée de moi, tu m'as donné une gifle et tu m'as dit que jamais tu n'avais vu un enfant aussi cruel. Je regrettais déjà mon geste mais je n'avais pas pu me retenir. J'en avais voulu à mon petit frère d'avoir, devant toi, dévoilé quelque chose de moi, de ma vie, de mes souffrances.

Je ne voulais pas que tu saches qui je suis.

Pendant toutes les premières années de ma vie j'ai vécu dans la terreur que tu me connaisses. Quand au collège des rencontres étaient organisées entre les parents et les professeurs, contrairement aux autres enfants qui avaient de bons résultats, je faisais en sorte que tu ne le saches pas. Je cachais les convocations, je les brûlais. Quand à la fin de l'année un spectacle était présenté dans la salle des fêtes du village avec des sketchs, des chansons, des chorégraphies, les autres enfants faisaient venir leurs parents et toute leur famille. Moi, je faisais tout ce que je pouvais pour organiser ton absence. Je te disais que les danses et les chants seraient sans intérêt, j'inventais des problèmes techniques, je ne te donnais pas les vraies dates du spectacle. Je te mentais. Plus tard j'ai découvert cette image, si souvent répétée dans les films ou dans les séries à la télévision, d'un enfant qui attend sur scène de voir ses parents apparaître dans la salle pour admirer le spectacle qu'il a préparé en pensant à eux pendant l'année, avec acharnement, et je ne me suis reconnu ni dans l'attente ni dans la déception de leur absence. Comme si toute mon enfance, au fond, avait été vécue *à l'envers*.

Je ne voulais pas que tu saches qu'à l'école les autres enfants refusaient d'être amis avec moi parce que être l'ami de celui qui était perçu comme le *pédé* aurait été mal vu. Je ne voulais pas que tu saches que plusieurs fois par semaine deux garçons m'attendaient dans le couloir de la bibliothèque de cette même école pour me gifler et me cracher au visage, me punir d'être ce que j'étais, C'est vrai que t'es une pédale ?

Je ne voulais pas que tu saches qu'à neuf ou dix ans déjà je connaissais le goût de la mélancolie et du désespoir, que j'étais prématurément vieilli par ces sentiments en moi, que chaque matin je me réveillais avec ces questions dans la tête : pourquoi est-ce que j'étais la personne que j'étais ? Pourquoi est-ce que j'étais né avec ces manières de filles, ces manières que les autres identifiaient, et ils avaient raison, comme la preuve de mon anormalité ? Pourquoi est-ce que j'étais né avec ce désir pour les autres garçons et pas pour les filles comme mon père et mes frères ? Pourquoi est-ce que je n'étais pas quelqu'un d'autre ? La fois où, plusieurs années après tout ça, au cours d'une dispute je t'ai dit que j'avais détesté mon enfance, tu m'as regardé comme si j'étais fou et tu m'as dit : Mais tu souriais tout le temps !

Comment est-ce que j'aurais pu te reprocher ta réaction ce jour-là, puisqu'elle était en quelque sorte le signe de ma victoire, du fait que j'avais réussi pendant tout ce temps à te maintenir dans l'ignorance de ce qu'était ma vie, et à t'empêcher, au bout du compte, de devenir ma mère ?

Les premières pages de cette histoire auraient pu s'appeler : Lutte d'un fils pour ne pas devenir fils.

L'année où elle a voulu partir en vacances – elle est entrée dans la cuisine et elle nous a dit que sa décision était prise. On partirait. Elle se souvenait de ses séjours à la montagne, enfant, quand les médecins l'envoyaient dans le Massif central pour soigner son asthme grave. J'étais avec mon père, je regardais la télé à côté de lui et elle a déclaré : On va partir à la montagne. Mon père a ri. Il a continué de regarder son émission et il a commenté, C'est quoi encore cette idée.

Elle avait vu une assistante sociale la veille. L'assistante lui avait expliqué qu'il existait des programmes de l'État pour les familles comme la nôtre, qui n'avaient pas d'argent pour aller en vacances, et elle s'est mise à espérer.

Elle a commencé à faire des allers-retours jusqu'au petit bâtiment où les services sociaux avaient leurs bureaux, à la lisière des champs, près de l'usine à métaux. Elle revenait avec des piles de papiers sous les bras, des justificatifs, des documents tout juste photocopiés encore tièdes de leur sortie de l'imprimante, et une énergie que je n'avais jamais vue en elle avant, ni dans son corps ni sur son visage.

Elle posait les documents sur la table et elle les dépliait pour les montrer à mon père mais il ne détachait pas son visage de la télévision. Il répondait que ça ne l'intéressait pas, et elle restait là, immobile. Elle se tournait vers moi mais je ne l'écoutais pas non plus, je ne sais pas pourquoi, peut-être parce que j'imitais inconsciemment mon père, peut-être parce que la description de ses démarches m'ennuyait.

Mon père a continué à se moquer d'elle mais elle n'a pas abandonné. Je la voyais partir en direction de l'épicerie du village, souvent plusieurs fois par jour pour utiliser la photocopieuse près de la caisse du magasin.

Elle demandait à mon père les documents administratifs qu'un jour l'année d'avant il avait tous rangés et triés mais il lui répondait qu'il ne savait plus où il les avait mis. Il le faisait avec un léger sourire de cruauté sur son visage.

Elle attendait. Elle attendait qu'il soit parti au café pour fouiller les tiroirs. Elle ne se contentait pas de les ouvrir, elle les extrayait de la structure du meuble et elle posait les petits caissons par terre. Elle s'asseyait sur le carrelage et elle sortait les piles de papiers une par une, elle téléphonait, laissait des messages, elle rappelait quand on ne lui répondait pas, elle traversait les rues, remplissait encore des formulaires jusqu'au jour où elle nous a dit que c'était fait, elle avait gagné, sa phrase a recouvert le bruit de la télévision : On part en vacances l'été prochain. Elle souriait. *(Ton visage est devenu si lumineux soudain.)* Mon père a dit qu'il ne partirait pas avec nous, qu'il était mieux *chez lui*, mais rien de ce qu'il disait ne pouvait l'atteindre à ce stade, elle le méprisait maintenant, grâce à sa victoire sur lui. Elle avait dans ses dossiers des photos de la petite ville de montagne où j'allais partir avec elle, des photos de la résidence aussi et pendant des mois avant le départ elle les a regardées, tous les jours, le matin, le soir avant d'aller dormir, des centaines de fois. Le jour où elle nous a annoncé la nouvelle, la certitude du départ, elle m'a chuchoté pour que mon père ne l'entende pas, Je vais enfin être heureuse.

On m'a dit que la littérature ne devait jamais tenter d'expliquer, seulement illustrer la réalité, et j'écris pour expliquer et comprendre sa vie.

On m'a dit que la littérature ne devait jamais se répéter et je ne veux écrire que la même histoire, encore et encore, y revenir jusqu'à ce qu'elle laisse apercevoir des fragments de sa vérité, *y creuser un trou après l'autre jusqu'au moment où ce qui se cache derrière commencera à suinter*.

On m'a dit que la littérature ne devait jamais ressembler à un étalage de sentiments et je n'écris que pour faire jaillir des sentiments que le corps ne sait pas exprimer.

On m'a dit que la littérature ne devait jamais ressembler à un manifeste politique et déjà j'aiguise chacune de mes phrases comme on aiguiserait la lame d'un couteau.

Parce que je le sais maintenant, ils ont construit ce qu'ils appellent littérature contre les vies et les corps comme le sien. Parce que je sais désormais qu'écrire sur elle, et écrire sur sa vie, c'est écrire contre la littérature.

Elle est née dans la banlieue d'une grande agglomération du nord de la France. Sa mère ne travaillait pas, son père adoptif était ouvrier à l'usine. Elle était fière de ne pas avoir grandi à la campagne contrairement à mon père : « C'est pour ça que je m'exprime mieux que lui. »

J'essaie de me souvenir : son père est mort quand elle avait dix ans. C'est un accident dont elle parlait beaucoup. Elle gardait de lui une lettre d'une vingtaine de lignes à peine qu'il avait écrite sur son lit d'hôpital, quand il savait qu'il allait mourir. Parfois, une ou deux fois par an, elle ouvrait la lettre soigneusement pliée et rangée dans une enveloppe jaunie et elle la relisait, assise sur le bord de son lit. Je la regardais dans l'entrebâillement de la porte et j'essayais de comprendre les sentiments qui la traversaient.

Je n'ai rien d'autre à dire sur son enfance, rien d'autre que cet univers ouvrier et cette perte du père.

Sa mère – ma grand-mère – était une personne discrète, timide, effacée – tout ce qu'on attendait d'une femme. Elle parlait doucement, faisait la cuisine et le ménage, disparaissait à la fin des repas de famille pour aller faire la vaisselle pendant que les hommes continuaient de parler en se resservant du vin. Elle était née dans les années 1930 et à six ou sept ans elle avait été forcée de quitter le Nord où elle vivait, à cause des bombardements de la Seconde Guerre mondiale. Dans ce contexte elle n'avait pas pu apprendre à lire et elle a rattrapé ce retard par ses propres moyens, plus tard dans sa vie. Elle vivait une existence modeste, elle avait élevé quatre enfants, ma mère et ses frères et sœurs, son mari était mort jeune, mais elle n'était pas malheureuse. Quand j'allais passer quelques jours chez elle pendant les vacances scolaires, elle me disait à propos de ma mère : « Ça me fait mal de voir ma fille souffrir autant. J'aurais jamais pensé voir ta mère comme ça. »

L'histoire de ma mère commence par un rêve : elle allait devenir cuisinière. Prolongement, sans doute, de la réalité qui l'entourait : les femmes avaient toujours fait la cuisine et servi les autres. À seize ans elle s'est inscrite à l'école hôtelière de sa région, mais un an plus tard elle a dû interrompre sa formation ; elle était enceinte et prête à mettre au monde mon grand frère, qui allait rapidement devenir alcoolique et violent, toujours entre le tribunal et le commissariat de police, soit parce qu'il frappait sa femme, soit parce qu'il mettait le feu à l'arrêt de bus ou aux gradins du stade du village, j'y reviendrai. Le père, un plombier qu'elle avait rencontré quelques mois plus tôt, lui a demandé de garder l'enfant. Ils se sont mariés par convenance, ils ont emménagé, il travaillait, à dix-huit ans elle était déjà « mère au foyer », comme elle le disait elle-même. Elle aurait peut-être pu espérer reprendre ses rêves et sa jeunesse un peu plus tard mais deux ans à peine après son premier accouchement les médecins lui ont annoncé une deuxième grossesse et elle a mis au monde son deuxième enfant, ma grande sœur. À vingt ans elle se retrouvait avec deux enfants, aucun diplôme et un mari qu'elle détestait déjà, après seulement quelques années de vie avec lui.

Il revenait au milieu de la nuit, ivre. Elle ne savait pas où il avait passé la soirée et ils se disputaient. Quand elle m'en parlait, plus de vingt ans après, elle m'expliquait, J'étais plus forte que lui, alors je me laissais pas faire. Mais c'était pas une vie. J'étais fatiguée. J'étais fatiguée de vivre dans une situation où je devais toujours être préparée, prête à me défendre tout le temps.

Elle le détestait mais elle est restée avec lui, à cause des deux enfants, pour eux. Elle me disait qu'elle ne voulait pas qu'ils grandissent sans père, qu'elle ne voulait pas être « responsable ». Elle ajoutait systématiquement à son récit : Et puis partir, je voulais bien, mais pour aller où ?

Pourtant après deux ou trois ans de plus avec lui elle n'a plus supporté. Elle a compris qu'il couchait avec d'autres femmes, il lui mentait. Il buvait de plus en plus. Certains jours – comme son fils des années plus tard, comme mon grand frère, comme une répétition à l'exact des vies – il se réveillait à sept ou huit heures le matin pour aller travailler et il était déjà saoul sans avoir commencé à boire, l'alcool ne quittait plus son corps, et elle est partie.

Elle a emménagé chez sa sœur dans une tour HLM à la périphérie d'une petite ville industrielle, près des supermarchés entassés et des immenses magasins de jardinage.

Elle avait vingt-trois ans, deux enfants, pas de maison où elle pouvait vivre, pas de travail, pas de permis de conduire, pas de relations qui auraient pu l'aider. Le seul rêve qui restait, le seul rêve encore possible pour quelqu'un comme elle était de revenir en arrière, de

Remonter le Temps. C'était quelques années à peine après son autoportrait photographié.

Pourquoi est-ce que j'ai l'impression d'écrire une histoire triste, alors que je me suis donné pour objectif de raconter l'histoire d'une libération ?

2000, ou 2001, peut-être – souvenirs des voix dans la nuit ; c'était un soir où elle avait trop bu. Ça n'arrivait presque jamais, dans le village les rôles étaient définis par avance : les hommes buvaient et les femmes essayaient d'empêcher leur mari de boire. Mais certains soirs elle oubliait les règles. Elle voulait s'amuser et elle demandait à mon père de lui acheter une bouteille de liqueur de litchi en même temps que sa bouteille de pastis à lui, la boisson s'appelait Soho. Elle était rapidement ivre à cause du manque d'habitude et une fois sous l'emprise de l'alcool, c'était la même scène qui se reproduisait : elle se dirigeait vers la grande commode de bois où était posé le lecteur DVD et elle introduisait dans le lecteur un disque, le seul qu'elle possédait, une compilation du groupe Scorpions.

Elle qui le reste du temps n'écoutait jamais de musique, elle se mettait à siffler et à chanter. Elle souriait, C'est la chanson de ma jeunesse.

Je ne comprenais pas pourquoi mais je détestais la voir heureuse, je détestais ce sourire sur son visage, sa nostalgie soudaine, son apaisement.

La scène s'est reproduite, presque exactement similaire, quatre ou cinq fois dans mon enfance.

Une nuit, vers une heure du matin, je dormais dans la chambre à côté du salon où elle faisait la fête avec mon père et avec les voisins et la chanson a commencé, elle m'a réveillé. Je me suis levé, les yeux encore à moitié fermés, la bouche sèche, je suis entré dans la pièce où ma mère était avec tous les autres, j'ai vu la quiétude sur son visage et j'ai hurlé : Arrête avec cette chanson ! mais cette fois elle ne m'a pas ignoré comme elle l'avait fait les autres fois. Ses yeux se sont remplis de larmes de colère, elle a éteint la musique et elle a crié : Mais bordel vous ne me laisserez jamais être heureuse au moins une fois dans ma vie de merde !!!!!! Pourquoi est-ce que j'ai pas le droit d'être heureuse ??

Tous les adultes autour de nous se taisaient. Même mon père ne savait pas comment réagir. Je sentais des courants glacials à l'intérieur de mon corps mais je ne me suis pas excusé. Je suis retourné dans ma chambre et je me suis allongé sur le lit.

J'avais tellement l'habitude de la voir malheureuse à la maison, le bonheur sur son visage m'apparaissait comme un scandale, une duperie, un mensonge qu'il fallait démasquer le plus vite possible.

J'avais tellement l'habitude de la voir malheureuse à la maison, le bonheur sur son visage m'apparaissait comme un scandale, une duperie, un mensonge qu'il fallait démasquer le plus vite possible.

Papier peint décollé sur les murs, odeurs de friture, jouets d'enfants éparpillés sur le sol plastifié : la vie dans le HLM de sa sœur. Elle me racontait, une cigarette entre les doigts : « Bien sûr que j'aimais ton frère et ta sœur, et je les aimerai toujours, mais je l'avoue, quand je vivais dans cette situation après avoir quitté mon premier mari et que j'habitais dans l'appartement de ma sœur, je me disais : Pourquoi j'ai fait deux enfants ? J'avais honte de le penser tu te doutes bien mais je le pensais tout le temps : Pourquoi j'ai fait deux enfants ? »

Quelques mois encore et elle rencontrait mon père. La seule manière de fuir pour elle était de trouver un autre homme. Elle est tombée amoureuse, ils ont emménagé à deux, ils ont eu un enfant, moi, elle se sentait bien avec lui parce qu'il était *différent*, mais très vite il est devenu quelqu'un d'autre – c'est-à-dire, *comme tous les autres*.

Souvent il refusait de lui parler plusieurs jours de suite, sans raison. Si quelqu'un essayait de dire quelque chose il s'énervait.

Elle haussait les épaules, sa vie était devenue un haussement d'épaules infini : « Je sais pas pourquoi il est aussi lunatique que ça ton père, avec lui on sait jamais si c'est du lard ou si c'est du cochon. »

Elle n'était avec lui que depuis quelques années mais elle ne parlait déjà plus de leur relation qu'au passé, *Au début il m'emmenait à la mer le dimanche, on allait aux magasins, il était pas comme maintenant. Il invitait des amis pour danser. Il portait du parfum, et à cette époque-là tu sais, ce n'était pas comme maintenant, les hommes ne portaient pas de parfum, ça ne se faisait pas. Mais ton père oui. Lui, oui. Il était différent. Il sentait tellement bon.*

Il ne voulait pas qu'elle porte de maquillage, même si elle le voulait désespérément, il attendait d'elle qu'elle fasse la cuisine et le ménage pour toute la famille, il ne voulait pas qu'elle passe le permis de conduire, du moins il la dissuadait de le faire, et surtout il rentrait à la maison tard dans la soirée ou dans la nuit après avoir disparu pendant des heures, le corps imbibé d'alcool. « C'est un mot que je dis pas souvent mais là je crois que je peux le dire, ton père est alcoolique. »

Un jour, à la fête du village organisée par le club de foot local, mon père lui a crié, devant plusieurs dizaines de personnes réunies, « Eh grosse vache, viens par là ». J'ai vu les visages autour d'elle se contorsionner de rire. Elle m'a demandé de rentrer avec elle. Une fois à la maison, assise sur le canapé, elle a pleuré. J'avais huit ans et c'était la première fois que je la voyais pleurer. Elle me disait entre deux sanglots, Je sais pas pourquoi ton père ressent le besoin de m'humilier comme ça.

Elle était humiliée mais elle n'avait pas le choix, ou elle pensait qu'elle ne l'avait pas, la frontière entre les deux est difficile à tracer, et elle est restée avec lui pendant vingt ans.

Elle n'a pas réalisé ses rêves. Elle n'a pas pu réparer ce qu'elle voyait comme la succession d'accidents qui constituait sa vie. Elle n'a pas trouvé le moyen de voyager dans le temps.

Est-ce que je suis victime d'une illusion ? Est-ce que c'est parce qu'elle et moi nous nous sommes éloignés de cette violence que je ne vois plus son passé que comme une succession de tragédies et de privations ? Je sais aussi qu'elle n'a jamais accepté son destin. Quand elle parlait de sa formation de cuisinière interrompue par sa première grossesse elle disait qu'elle aurait pu faire de grandes études si elle n'avait pas eu mon frère : « Tous mes professeurs me disaient que j'étais très intelligente, surtout en géographie. » Quand je lui posais des questions sur sa famille et ses ancêtres, elle prétendait toujours qu'elle était issue d'une famille déchue de la grande aristocratie française.

Elle était certaine qu'elle méritait une autre vie, que cette vie existait quelque part, abstraitement, dans un monde virtuel, qu'il aurait fallu un rien pour l'effleurer, et que sa vie n'était ce qu'elle était dans le monde réel que par accident.

Un jour j'ai dit, devant toute la famille réunie, que j'aurais aimé que mademoiselle Berthe, la professeur d'histoire au collège, devienne ma mère. Je devais avoir onze ans. Mon grand frère qui était à côté de moi et qui mangeait a sursauté : On ne doit pas dire des choses comme ça, c'est mal !

Je ne savais pas avant cette scène qu'il était mal de vouloir une autre mère.

Souvent quand elle allumait une cigarette elle disait : C'est à cause de vous que je fume, je suis obligée de fumer avec des gosses aussi stressants.

Un autre jour elle est passée devant la cour de l'école où je jouais avec Cindy, une fille du village. Cindy m'a demandé, C'est ta mère ? J'ai répondu que non, que je ne savais pas qui était cette femme.

Elle vivait donc avec cet homme qu'elle n'aimait déjà plus beaucoup, mon père. Il travaillait à l'usine la journée, il rentrait le soir, elle servait le repas.

Peter Handke écrit pour résumer le quotidien de sa mère en Autriche dans les années 1920 : « Mettre la table, débarrasser la table ; "Chacun a ce qu'il lui faut ?" Ouvrir les rideaux, fermer les rideaux ; allumer la lumière, éteindre la lumière ; "Ne laissez pas toujours la lumière allumée dans la salle de bains" ; plier, déplier ; vider, remplir ; brancher la prise, débrancher la prise. "C'est tout pour aujourd'hui." »

Elle vivait à des milliers de kilomètres de l'Autriche, sa vie à elle se déroulait plus d'un demi-siècle plus tard, ses conditions matérielles étaient différentes et pourtant sa vie était exactement semblable, jusqu'aux phrases employées.

Le matin, quand je n'étais pas à l'école, je la voyais partir faire les courses à l'épicerie, rentrer, préparer le repas du midi, servir le repas, débarrasser, faire la vaisselle, nettoyer la maison, repasser le linge, faire les lits des enfants, préparer le repas du soir pendant l'après-midi, attendre mon père, nous servir, débarrasser la table du dîner, faire la vaisselle du soir.

La même répétition, les mêmes gestes, cette journée-type reconduite presque tous les jours sans exception, sauf quand elle exigeait un peu d'aide de ma sœur ou de moi pour faire la vaisselle.

Une autre question : est-ce que je peux comprendre sa vie si cette vie a été spécifiquement marquée par sa condition de femme ?

Si je suis construit, perçu et défini par le monde qui m'entoure comme un homme ?

Le soir après l'usine mon père partait au café avec ceux qu'il appelait ses *copains*. Ils emmenaient souvent leurs fils avec eux mais lui ne m'emmenait pas, par honte de moi et de mes manières féminines, de ces manières qui me mettaient à l'écart des autres à l'école. Je restais à la maison avec ma mère et ma grande soeur et c'est avec elles que j'ai grandi.

Qu'est-ce qu'un homme ? La virilité, le pouvoir, la camaraderie avec les autres garçons ? Je ne les avais pas. L'absence du risque de l'agression sexuelle ? Je n'en ai pas été protégé.

De la même manière que Monique Wittig affirme que les lesbiennes ne sont pas des femmes, qu'elles échappent à cette identité contrainte, la personne que je suis n'a jamais été un homme, et c'est ce trouble du réel qui me rapproche le plus d'elle. C'est peut-être ici, dans ce non-lieu de mon être, que je peux tenter de comprendre qui elle est et ce qu'elle a vécu.

Puisqu'elle était privée d'événements dans sa vie un événement ne pouvait arriver que par mon père. Elle n'avait plus d'histoire ; son histoire à elle ne pouvait plus être, fatalement, que son histoire à lui. Un matin, l'usine nous a appelés pour nous dire qu'un poids était tombé sur son dos pendant qu'il travaillait. Les médecins ont prévenu ma mère que mon père serait paralysé plusieurs années. Il n'avait plus de salaire, seulement quelques aides sociales versées par l'État pour le dédommager. Elle et lui sont passés directement de la pauvreté à la misère et elle a dû faire la toilette des personnes âgées dans le village pour gagner un peu d'argent, métier qui l'épuisait et qu'elle détestait.

Surtout, à cause de cette situation, mon père restait toute la journée à la maison et elle étouffait : « Au moins avant il partait la journée j'avais mes journées pour moi. »

Mon père souffrait, la douleur ne voulait pas disparaître, et comme la plupart des personnes qui souffrent il voulait faire souffrir les autres avec lui. Il devenait plus agressif avec ma mère, il lui donnait des surnoms blessants devant les autres, « gros tas », « la grosse », « grosse vache ».

Elle était contrainte à devenir injuste pour se défendre : « Il pourrait quand même retrouver un travail, se bouger un peu le cul. Je suis certaine qu'il en rajoute quand il dit qu'il a mal. »

Elle me racontait les histoires de famille ou des voisins mais je ne l'écoutais pas. Je me plaignais : Arrête d'être aussi bavarde ! Je ne voyais pas qu'elle parlait pour combler l'ennui, la reproduction exacte des heures et des jours imposée par la vie avec mon père, que pour elle, comme pour moi des années plus tard, le récit de sa propre vie était le meilleur remède qu'elle avait trouvé pour supporter le poids de son existence.

Elle était certaine qu'elle méritait une autre vie, que cette vie existait quelque part, abstraitement, dans un monde virtuel, qu'il aurait fallu un rien pour l'effleurer, et que sa vie n'était ce qu'elle était dans le monde réel que par accident.

Acharnement du malheur : dans ce contexte de misère et de tension avec mon père, elle est tombée enceinte. Personne ne comprenait ce qui se passait : elle avait posé un stérilet pour éviter une grossesse supplémentaire quelques mois plus tôt. Les médecins à l'hôpital lui ont dit qu'elle n'attendait pas un enfant mais deux, des jumeaux. Stupeur. Elle est rentrée de la consultation en disant qu'elle se ferait avorter, qu'elle et mon père n'avaient pas les moyens d'élever deux enfants en plus. Il s'est énervé, étrangement, lui qui avait toujours été dégoûté par la religion, qui associait la Religion au Pouvoir, comme l'École et l'État, il lui disait Mais tu es folle !

On ne va pas tuer nos enfants ! L'avortement c'est un meurtre.

Elle a essayé de défendre son point de vue mais elle n'a rien pu faire. Il décidait, elle cédait. Quelques mois plus tard elle était à l'hôpital pour l'accouchement. Elle devait y rester plus longtemps que les autres fois à cause de complications de santé. Je ne comprenais pas le drame économique qui se jouait pour elle avec l'arrivée de ces deux enfants, le fait que ces deux enfants la liaient encore plus à mon père et rendaient l'idée d'une rupture presque impossible. J'étais petit, et la seule chose à laquelle je pensais, le seul sentiment qui me traversait réellement, c'est que j'étais heureux parce que l'hôpital se trouvait à la périphérie de la ville, près d'un McDonald's, et que je pouvais y manger tous les jours, parce que mon père, dans l'euphorie de l'accouchement, acceptait de me donner de l'argent, et qu'il dépensait en une semaine la totalité des aides sociales qui auraient dû nous permettre de vivre jusqu'à la fin du mois.

La fois où la privation lui a donné un violent désir de participer – c'était l'année où un cirque itinérant s'était arrêté pour quelques jours dans le village ; j'avais voulu y aller et étonnement, elle avait voulu venir avec moi. Le soir du spectacle, un clown a dit qu'il avait besoin d'un volontaire dans le public pour un tour de magie. Tous les enfants dans le chapiteau ont levé la main, et je l'ai fait aussi. J'ai levé la main aussi haut que j'ai pu, j'avais peur que ma main ne soit pas assez haute et je me suis mis debout, j'ai tiré mon doigt vers le haut, je disais, Moi, monsieur, moi, je priais, Pitié, pitié, choisissez-moi, et il m'avait choisi. Parmi les centaines d'enfants qui étaient là c'était moi qu'il avait choisi : Le petit là avec les cheveux blonds, comment tu t'appelles ?

EDDY !

Eddy Comment ?

EDDY BELLEGUEULE !

Ha ha, bien joué.

C'est ce qu'il avait répondu, il pensait que je faisais une blague.

De toute façon je t'appellerai Cuisses de Mouche.

J'ai souri, je suis allé au milieu du chapiteau et il a fait son tour de magie – je ne me souviens même pas de ce que c'était. Quand il a fini le tour il m'a renvoyé vers le public, il a demandé avec qui j'étais et ma mère a levé le doigt. Il a crié dans son micro, Eh bien madame, je vous rends Cuisses de Mouche.

Nous sommes rentrés et sur le chemin elle riait, elle répétait la scène, Qu'est-ce qu'on a rigolé !

Pendant des mois après cette soirée elle en a reparlé. Elle avait, l'espace de quelques minutes, fait partie de quelque chose, participé au réel, elle était sortie du seul rôle que la vie avec mon père lui imposait, et pour la première fois grâce à cette joie en elle j'étais devenu son fils.

À la montagne aussi, tout au long du séjour payé par les aides sociales, la joie l'avait transformée. Elle souriait, elle essayait d'instaurer entre nous une complicité qui n'avait jamais existé avant : On fait la course jusqu'à l'arbre là-bas ! Le dernier arrivé paye une glace à l'autre ce soir !

Elle commentait : Tu vois je suis beaucoup moins stressée et beaucoup plus gentille quand je suis sans ton père, c'est lui qui me rend méchante.

Mais je continue : l'arrivée des deux nouveaux enfants. Avoir un enfant de plus dans ce milieu c'est ajouter des complications à sa vie ; deux de plus, c'est la catastrophe. Il y avait sept personnes à la maison, nous, les cinq enfants, et mes parents.

Dans cette configuration, même se nourrir est devenu compliqué. Une fois par semaine, ma mère criait depuis la cuisine « On part à Pont-Rémy, mets tes chaussures ! ». Je savais ce que voulait dire cette phrase. C'était là-bas qu'une association distribuait des colis alimentaires. Ma mère voulait que je les accompagne parce qu'elle savait que la présence d'un enfant susciterait la pitié des femmes qui distribuaient la nourriture, et qu'en me voyant elles ajouteraient peut-être un paquet de pâtes ou une boîte de gâteaux.

La pauvreté s'impose toujours avec un manuel de conduite, que personne n'a besoin d'édicter pour le connaître : personne ne me l'avait dit, mais je savais qu'il ne fallait pas raconter aux autres dans le village ces excursions à l'association d'aide alimentaire. Je n'en parlais pas non plus avec mes parents, on y allait, on prenait la nourriture, et on revenait sans jamais en dire quelque chose, comme si ça n'avait jamais existé.

Dans leur nouvelle situation, l'agressivité de mon père a atteint des niveaux extrêmes. Elle et lui venaient en réalité de fractions différentes de la pauvreté : tout le monde dans sa famille à elle était ouvrier d'usine, son père adoptif, son frère, sa sœur. La famille de mon père était beaucoup plus pauvre : alcoolisme, handicaps mentaux, prison, chômage. Du fait de cette différence, mon père considérait qu'avec l'arrivée des deux nouveaux enfants la famille de ma mère aurait dû nous donner de l'argent. Comme ils ne le faisaient pas, mon père s'énervait, et parfois il l'empêchait de les voir. Elle ne savait pas conduire et il refusait de l'accompagner jusqu'au village où ils vivaient.

Lui, quand il avait trop bu : « Ta famille c'est une famille de sales juifs, ils méritent une bonne dose de gaz. »

Ma mère : « Et moi je trouve ça vraiment dégueulasse parce qu'on peut pas empêcher quelqu'un de voir sa famille. Pourquoi est-ce qu'il m'empêche de voir ma mère ? »

Non seulement elle était mère de cinq enfants, sans argent, sans perspective, mais elle était prisonnière de l'espace domestique. Toutes les portes étaient verrouillées.

Qu'est-ce qu'elle pouvait faire ? Elle faisait ce qu'elle pouvait pour ne pas complètement étouffer :

Certains jours elle regardait mon petit frère et ma petite sœur et elle souriait : Ils sont tellement beaux mes gosses, ça m'a fait mal au cœur quand j'ai décidé de les garder parce qu'on avait pas d'argent mais aujourd'hui je regrette pas. Ils sont tellement beaux.

Elle se moquait du physique des autres femmes : Elle, elle est comme une cathédrale, elle a les seins à l'intérieur.

Elle adorait les expressions toutes faites, tout ce qu'elles permettent de dire en peu de mots : J'ai pas de sous j'ai que des soucis ! La pauvreté n'empêche pas la propreté ! Méfie-toi du loup qui dort ! Chien qui a mordu mordra.

Pourtant même dans ces moments je le voyais, la mélancolie ne quittait jamais ton visage.

II

Est-ce que c'est une chose à laquelle tu repenses, souvent ? **Un jour tu as cru que l'amitié pourrait te sortir de cette vie** – c'était en 2006, toi et mon père vous étiez à la kermesse du village et vous avez discuté avec Angélique. Ce n'est pas que vous connaissiez ou que vous ne connaissiez pas Angélique, c'est autre chose. Elle était responsable du réseau d'électricité dans la région. Elle travaillait dans un bureau, elle avait étudié deux ou trois ans à l'université et ces détails suffisaient à la couper radicalement d'une famille comme la nôtre ; elle n'était pas amie avec des gens comme nous, plutôt avec les enseignants, les petits cadres de l'usine, les employés de la mairie, tous ceux qu'on voyait tous les jours dans les rues et qu'on pouvait saluer mais à qui on ne parlait jamais, une autre caste – puisque tout le monde sait que, contrairement à ce qu'on pourrait imaginer, plus la proximité physique est grande comme à la campagne et plus les frontières de classe sont rigides.

C'est mon père qui l'a approchée – lui qui l'a vue seule à quelques mètres de votre groupe, et qui a remarqué que non seulement elle était seule mais qu'elle pleurait aussi. Vous partiez tôt souvent de la kermesse mais cette année-là vous êtes restés plus longtemps que les autres fois, la place du village était déjà déserte quand mon père a marché dans la direction d'Angélique pour lui demander ce qui se passait et pour lui proposer de venir chez nous boire quelques verres, la consoler – je crois qu'elle lui plaisait aussi, que toutes ces années il a été amoureux d'elle sans se l'avouer, mais peu importe, il avait toujours eu cette propension à aider les autres, c'est vrai, tu t'en plaignais, tu me disais toujours que tu ne comprenais pas pourquoi mon père était aussi méchant avec sa propre famille et aussi gentil et même généreux avec les autres, les inconnus, toujours prêt à aider, à rendre service, à *dépanner* comme il disait, je crois que c'est parce qu'il suffoquait de la vie à la maison et qu'il voulait faire payer à sa famille d'être sa famille, d'être les visages de son malheur, mais ce n'est pas le sujet. Angélique a hoché la tête sans rien dire, je voyais les larmes sur ses joues, comme deux lignes brillantes et presque parallèles. Mon père a posé sa main sur son épaule et elle nous a suivis à la maison. Une fois assise sur le canapé elle vous a raconté ce qui se passait, je me rappelle ses phrases, comment et pourquoi l'homme qu'elle aimait venait de la quitter, comment elle avait peur, à l'âge qu'elle avait, de finir sa vie seule et sans enfants. Elle disait tout ça entre des sanglots et de longues inspirations.

Mon père l'a prise dans ses bras, et tu lui as parlé, je veux dire à elle, Angélique. Tu lui as dit les phrases qu'on dit dans ces situations, que tout irait bien, que bientôt elle l'oublierait, qu'il ne fallait jamais compter sur les hommes. Je vous regardais depuis le canapé et je ne sais pas comment décrire l'état dans lequel je me sentais, cette fascination et cette appréhension d'avoir quelqu'un d'un autre milieu que le nôtre à la maison, comme les fois où le médecin passait le soir et que nos corps changeaient de par sa seule présence, qu'on se tenait autrement, qu'on parlait autrement, qu'on avait peur d'un geste qui révélerait notre infériorité sociale.

Angélique est revenue à la maison le lendemain, et le lendemain encore. Elle se rapprochait de vous et tout de suite tu as senti qu'elle t'emmènerait vers une autre vie, d'autres habitudes venues d'un autre monde, des formes de vie plus libres et plus douces. Tu as été immédiatement plus heureuse – je me trompe ? Plus elle venait et plus tu adoptais sa vie, elle te prenait des rendez-vous chez le coiffeur alors que pendant des années tu t'étais coupé les cheveux avec les ciseaux de cuisine, elle t'apprenait à dire des expressions nouvelles qui te donnaient plus de confiance en toi, maintenant tu disais « tout à fait » quand quelqu'un parlait, tu te rappelles ?

Elle nous faisait découvrir des nourritures qu'on ne connaissait pas, du tarama, du houmous, des nourritures qui nous faisaient nous sentir différents et distingués quand on les mangeait ou quand on les achetait.

Tout ton corps changeait. La tristesse disparaissait de toi.

Est-ce que tu étais consciente du miracle social qui se jouait ? De cette possibilité soudaine de sortir de toi-même ? Je crois que oui. Grâce à Angélique tu te sentais plus forte face à mon père, tu avais une alliée, tu me chuchotais pendant que tu accrochais le linge et que je tenais pour toi la bassine d'épingles, *À mon avis Angélique des fois elle doit en avoir marre de ton père qui sait pas parler et qui sait pas se tenir*.

Je ne peux pas faire la liste de tout ce qui s'est passé grâce à elle, à travers elle, vous alliez acheter des sous-vêtements à deux au supermarché, vous alliez à la mer, *entre copines*, comme tu disais. (J'ai commencé ton histoire en voulant raconter l'histoire d'une femme mais je m'en rends compte, ton histoire est celle d'un être qui luttait pour avoir le droit d'être une femme, contre la non-existence que t'imposaient ta vie et la vie avec mon père.)

Pendant ces deux ou trois années d'amitié la dépression d'Angélique n'a jamais totalement disparu ; elle pleurait encore, souvent, elle tombait facilement amoureuse. Quand cet ami d'enfance de mon père, qu'il n'avait pas vu depuis quinze ans parce qu'il était devenu militaire et qu'il était parti travailler dans une caserne du sud de la France, est revenu au village, et qu'il venait manger avec nous le soir, elle a tout fait pour le séduire. Elle s'achetait des vêtements, du maquillage, elle se faisait manucurer les ongles dans la galerie marchande du grand supermarché où on faisait les courses le samedi après-midi. Quand l'histoire avec cet homme a échoué, elle est tombée amoureuse de mon grand frère. Il la frappait, on la retrouvait l'après-midi avec des marques sous les yeux, mais elle s'est accrochée le plus possible à lui.

Et tu continuais à partir avec elle la journée, les week-ends, à rire avec elle, à lui ressembler.

Mais un jour tout s'est arrêté. Angélique a rencontré un homme, elle l'aimait, et il lui a proposé de faire un enfant. Sa mélancolie qui n'avait jamais quitté son corps depuis votre rencontre à la kermesse s'est tarie, et progressivement elle s'est éloignée de notre famille. Elle venait moins à la maison, ses messages s'espaçaient, elle ne te proposait plus de sortir avec elle. Au début tu ne comprenais pas. Tu disais que c'était étrange mais que ça devait être à cause du travail, qu'il ne fallait pas s'inquiéter. Et puis tu as été forcée de voir qu'elle ne venait plus chez nous, qu'elle ne te répondait plus. Une fois, quelque temps après son silence, tu l'as croisée dans la rue en revenant de la boulangerie mais elle ne t'a pas dit bonjour. Tu as soupiré, les yeux vers le sol, le visage figé, Elle ne m'a même pas dit bonjour. Je comprends pas pourquoi, on était amies non ?

Tu l'as rappelée quand même, une dernière fois, tu as essayé, mais quand elle a finalement décroché elle t'a répondu de la laisser tranquille, Laisse-moi tranquille, Monique.

Elle avait mis fin à votre relation. Est-ce que je te l'ai raconté ? Je suis allé la voir, chez elle. À moi aussi elle manquait.

Quand elle a ouvert la porte, j'ai senti les larmes me monter aux yeux et je lui ai demandé pourquoi elle avait disparu. Elle m'a expliqué qu'elle ne supportait plus notre famille, les manières à table, la façon dont mon père te parlait, la présence constante et obsessionnelle de la télévision, elle ne supportait plus. Sa dépression avait transformé sa perception du monde, elle s'était sentie accueillie chez nous, mais maintenant qu'elle était amoureuse, et, ce qu'elle me disait, heureuse, tout ce qui avait été invisible à ses yeux devenait insupportable.

C'est comme si, au fond, la dépression amoureuse, un facteur psychologique, avait rendu poreuses les lois habituelles de la sociologie – le fait que les personnes d'un milieu fréquentent les personnes du même milieu qu'elles, et qu'il n'y a presque aucun échange possible entre les classes.

Maintenant c'était terminé. Quand tu parlais d'elle, tu disais en haussant les épaules : De toute façon on était pas assez bien pour elle.

Tu te sentais abandonnée,

tu l'étais,

tu étais seule.

III

Il n'y a pas si longtemps, tu m'as appelé au téléphone. Tu m'as demandé si j'allais bien et après unc courte conversation sur mon petit frère et sur le temps qu'il faisait, des banalités, tu m'as dit que tu avais besoin de gagner de l'argent, pour toi, pour la vie de tous les jours et pour tes sorties – je ne savais pas ce que tu entendais par là, tes sorties. Tu as laissé passer quelques secondes, tu as repris ta respiration et tu as continué : « C'est pour ça qu'il me faudrait un travail. Et j'ai pensé que je pourrais faire le ménage chez toi. Je viendrai quand tu seras pas là bien-sûr, je te dérangerai pas. Je nettoie, tu laisses l'argent sur la table et je pars. »

Je me suis forcé à répondre, malgré la surprise. Qu'est-ce que je pouvais dire ? J'ai essayé quand même, je t'ai répondu que ce n'était pas possible. J'ai ajouté que je pouvais te donner un peu d'argent si tu en avais besoin, mais tu continuais, Non, non, je ne demande pas l'aumône. Ce qu'il me faut c'est du travail. Réfléchis bien.

Quand j'étais enfant avec toi, dans le village, et que je voyais des personnes privilégiées, le maire, les petits châtelains, les propriétaires de la pharmacie, l'épicière, la plupart du temps je les détestais, parce que je voyais en eux tous les privilèges auxquels je n'avais pas accès.

Je détestais leur corps, leur liberté, leur argent, l'aisance de leurs mouvements.

Si tu m'as demandé de devenir ma femme de ménage ce jour-là, est-ce que cela veut dire que je suis devenu ce corps ?

Est-ce que je suis devenu le corps que je détestais ?

L'histoire de notre relation a commencé le jour de notre séparation. C'est comme si nous avions inversé le temps toi et moi, comme si c'était la séparation qui avait précédé la relation, elle qui en avait posé les fondements.

Tout a basculé pendant ma première année au lycée. J'étais l'unique personne dans notre famille à commencer des études. Là-bas, au lycée, j'ai été brutalement confronté à un monde que je ne connaissais pas. Ceux que je rencontrais et qui devenaient mes amis lisaient des livres, ils allaient au théâtre, parfois même à l'Opéra. Ils voyageaient. Ils avaient des manières de parler, de s'habiller, de penser, qui n'avaient rien à voir avec ce que j'avais connu avec toi. J'entrais dans l'univers de ceux que tu avais toujours appelés *les bourgeois* et tout de suite j'ai voulu devenir comme eux.

Quand je rentrais au village, les premières fois, je voulais te montrer ma nouvelle appartenance – c'est-à-dire, ce qui était en train de devenir l'écart entre ma vie et la tienne. C'est surtout par le langage que je produisais la différenciation. J'apprenais des nouveaux mots au lycée et ces mots devenaient les symboles de ma nouvelle vie, des mots sans importance, *bucolique*, *fastidieux*, *laborieux*, *sous-jacent*. C'étaient des mots que je n'avais jamais entendus avant. Je les utilisais devant toi et tu t'énervais, Arrête avec ton vocabulaire de ministre ! Tu disais L'autre depuis qu'il est au lycée il se croit mieux que nous.

(Et tu avais raison. Je disais ces mots parce que je me croyais mieux que vous. Je suis désolé.)

Tout à coup tous les échanges avec toi n'ont plus rien été d'autre que des conflits. Quand tu me montrais du doigt quelque chose et que tu me disais Garde, plutôt que Regarde, comme je l'avais fait depuis les premières années de ma vie, comme on l'avait toujours fait, je te reprenais : On dit regarde, pas garde. Quand tu amorçais une phrase par Si j'aurais, je te corrigeais, Si j'avais, les si ne vont pas avec les ré !

Je disais des phrases exotiques pour toi, directement importées du monde que je fréquentais désormais : *C'est bientôt l'heure du thé, est-ce que tu sais où j'ai posé mon journal ?* Je te donnais des conseils : *Pourquoi tu ne fais pas écouter un peu de musique classique à mes frère et sœur, du Mozart ou du Beethoven ? C'est très bon pour le cerveau tu sais.* Tu haussais les sourcils, Il devient complément fou celui-là. J'ai élevé cinq gosses c'est pas lui qui va m'apprendre comment élever des enfants.

(Souvent tu n'existais plus du tout, tu avais disparu de ma mémoire. Je vivais ma vie au lycée comme si je ne t'avais jamais connue.)

La plupart des gens qui racontent la trajectoire d'un passage d'une classe sociale à une autre racontent la violence qu'ils ont ressentie – par inadaptation, par méconnaissance des codes du monde dans lequel ils entraient. Je me souviens surtout de la violence que j'infligeais. Je voulais utiliser ma nouvelle vie comme une vengeance contre mon enfance, contre toutes les fois où vous m'aviez fait comprendre, mon père et toi, que je n'étais pas le fils que vous auriez voulu avoir.

Je devenais un transfuge de classe par vengeance, et cette violence s'ajoutait à toutes celles que tu avais déjà vécues.

Cette fois où elle a été convoquée au lycée pour signer des papiers administratifs – je l'ai dit tout à l'heure, au collège j'avais toujours réussi à éviter qu'elle m'accompagne, par peur qu'elle apprenne à me connaître, par angoisse d'un rapprochement, même le plus infime, avec elle. Au lycée je ne voulais pas non plus qu'elle vienne, mais ce n'était plus pour la même raison, c'est un sentiment nouveau que j'éprouvais et c'est ce sentiment-là qui me poussait à inventer des stratégies pour la mettre à l'écart : je ne voulais pas que les autres la voient, et qu'ils voient, à travers elle, une autre personne en moi, mon passé, la pauvreté. Je ne voulais pas que les autres sachent que ma mère ne ressemblait pas à la leur, que ma mère à moi n'avait pas fait d'études, qu'elle n'avait pas voyagé, qu'elle n'avait pas de vêtements aussi distingués que les leurs, qu'elle n'était pas souriante et élancée comme leur mère à eux. J'avais réussi à cacher son existence mais un jour le lycée m'a dit que je n'avais pas le choix, il fallait qu'elle vienne. Je suis allé la voir dans la cuisine où elle remplissait des mots croisés et je lui ai dit qu'elle devait prendre le train avec moi jusqu'au lycée. Elle a commencé par me dire que ce n'était pas possible, comme toujours, qu'elle était trop occupée par le travail à la maison, et puis, à force d'insistance, elle a changé d'avis.

Quelques jours plus tard j'étais avec elle dans le petit train aux banquettes rayées gris et bleu, en direction d'Amiens où le lycée se trouvait. C'est idiot mais j'avais peur d'être vu par des personnes que je connaissais, celles de mon nouveau monde.

À deux ou trois cents mètres des locaux où elle était attendue pour signer les papiers je lui ai dit, Par contre s'il te plaît tu ne mets pas tes doigts dans ton nez quand tu parles et tu essayes de bien parler sinon moi je vais me taper la honte, les autres ont des mères qui parlent bien.

Elle s'est arrêtée sur le trottoir et elle m'a regardé : Tu es vraiment une petite ordure. Je voyais le dégoût sur son visage.

Toute la journée elle a marché à côté de moi en silence.

Dans le train du retour j'étais à un mètre d'elle mais je me sentais à des centaines de kilomètres de son corps. Elle regardait par la fenêtre le défilé des champs et des forêts. Au milieu du silence elle a demandé C'est bon je t'ai pas trop fait honte ?

Quand j'étais enfant, nous avions honte ensemble – de notre maison, de notre pauvreté. Maintenant j'avais honte de toi, contre toi.

Nos hontes se sont séparées.

*

La vie continuait, et pour elle la vie continuait à ressembler à une lutte contre la vie. Mes plus jeunes frère et sœur avaient quatorze ans et ils commençaient déjà à se détacher du système scolaire, à ne plus aller en cours, leurs résultats dans toutes les matières s'effondraient. Elle savait que sans diplômes leur vie ressemblerait à la sienne et elle en était désespérée, « J'ai beau les pousser et leur dire d'aller à l'école ils veulent pas. Hier je leur ai demandé Vous voulez compter les sous comme moi toute votre vie ? Mais ils s'énervent si je leur dis ça. Qu'est-ce que je peux faire ? »

Mon petit frère s'enfonçait dans une forme de vie radicalement contemporaine qu'elle ne connaissait pas, pour laquelle elle n'avait ni langage ni remède. Il se réveillait le matin à dix heures et il allumait sa console de jeux. Il y jouait toute la journée jusqu'au milieu de la nuit. Il ne descendait qu'une seule fois par jour dans la cuisine pour chercher son repas. Il ne mangeait pas avec le reste de la famille, il emportait son assiette dans la chambre. Il prenait du poids, il n'avait pas d'amis, son visage s'effaçait dans des teintes grisâtres.

Mon grand frère, lui, disparaissait dans ses problèmes d'alcool. Il frappait la femme avec qui il vivait, comme il l'avait fait avec Angélique, elle appelait ma mère au milieu de la nuit pour la prévenir que la prochaine fois elle porterait plainte.

Quand ma mère m'en parlait, elle s'accrochait de toutes ses forces à la négation de l'évidence : « J'ai vu ton grand frère hier et là je crois que c'est bon, il me l'a promis, il va arrêter de boire. » Et puis il recommençait, il buvait, il devenait violent, et elle recommençait à son tour, elle recommençait à se mentir, comme dans un cycle infernal : « Je sais que là il a exagéré mais c'était la dernière fois, maintenant c'est bon il a compris, il en a pris de la graine, il boira plus. Je l'ai vu, j'ai eu une explication avec lui et il m'a juré qu'il ne toucherait plus jamais à une goutte d'alcool. »

Elle s'acharnait à nier la réalité, pourtant je le voyais, elle regardait le destin de ses fils comme la répétition infernale des mécanismes qui avaient écrasé sa propre vie, comme le cycle impossible à briser d'une malédiction.

Elle disait parfois en riant : Monica Bellucci c'est la traduction en italien de Monique Bellegueule. Monique Bellegueule, Monica Bellucci. Je suis la Monica Bellucci française. Elle lançait ses cheveux en arrière en le disant, comme une actrice de cinéma.

À propos de sa famille aristocratique imaginaire elle précisait : « C'était un noble mon arrière-grand-père mais un jour il est tombé amoureux d'une poissonnière et sa famille l'a déshérité à cause de ça. Il a choisi l'amour plutôt que l'argent. Normalement j'aurais dû être une grande noble, j'ai le sang bleu. C'est con. »

Quand je lui ai annoncé mon homosexualité, elle m'a répondu, inquiète, J'espère au moins qu'au lit tu ne fais pas la femme !

C'est une anecdote qui me fait rire maintenant.

Le jour de l'accident – j'avais seize ans, j'essayais de rentrer le moins possible chez mon père et toi pendant l'année scolaire, je dormais chez mes amis à Amiens, mais en été je revenais, pendant quatre semaines, parfois plus, pour travailler comme animateur avec les enfants au centre de loisirs du village.

Ce jour-là vers dix heures du matin j'inventais des chorégraphies avec un groupe de quelques filles, mais tout à coup je me suis senti traversé par une douleur violente dans le bas du ventre. Une petite fille s'est approchée de moi, elle m'a pris dans ses bras mais même l'action de ses mains sur moi me faisait mal, je ne supportais plus rien ; je me suis assis sur le sol, essoufflé. La douleur était apparue subitement, il n'y avait eu aucun signe qui aurait pu annoncer ce qui se passait. La directrice du centre de loisirs qui était là s'est agenouillée à côté de moi, elle m'a dit de rentrer et d'appeler un médecin – peut-être qu'elle m'avait proposé d'en appeler un elle-même et que j'avais refusé, je ne sais plus.

J'ai marché sur une distance de trois ou quatre cents mètres jusqu'à la maison ; mon ventre me faisait de plus en plus mal ; une fois rentré, sur le canapé, j'ai vu que mes cheveux étaient mouillés, mon dos aussi, je transpirais.

Tu regardais la télévision dans la pièce où j'étais. Il n'y avait que toi à la maison, et je t'ai dit que j'allais mal. Je t'ai demandé d'appeler le médecin d'urgence ou le SAMU mais tu n'as pas voulu. Tu as pris une bouffée de cigarette et tu m'as répondu que ce n'était rien.

Je voyais ce qui se passait : pour toi j'exagérais ma douleur parce que je me comportais comme les gens de la ville, ceux à qui je voulais ressembler depuis que j'allais au lycée à Amiens, les privilégiés. Dans notre monde la médecine et le rapport aux médecins avaient toujours été considérés comme une manière pour les bourgeois de se sentir importants en prenant un soin minutieux et extrême d'eux-mêmes. Au fond, je crois que tu voyais cette scène comme le prolongement de toutes les autres depuis le début de notre éloignement, comme la manière pour moi de manifester une distance de classe, de t'agresser. (Et comment est-ce que je pourrais te le reprocher, puisque c'est vrai, c'était une guerre que je te menais ?)

Mais la douleur ne se calmait pas ; j'ai fini par me lever du canapé et je t'ai dit que j'allais voir le médecin. Je me suis approché de la porte, je l'ai ouverte et tu m'as laissé sortir, sans rien dire, toujours la cigarette entre tes doigts. Une fois chez le médecin, il m'a ausculté et il m'a dit que mon appendice était sur le point d'exploser.

J'ai passé deux semaines à l'hôpital, l'appendice s'était infecté et l'infection s'était répandue dans mon corps. Les infirmières m'avaient dit : Quelques heures de plus et vous auriez pu en mourir.

La distance sociale avait tellement contaminé l'ensemble de nos rapports, tu ne voyais plus en moi que l'outil d'une agression de classe et cette situation avait failli me tuer.

Pourtant la distance continuait de se creuser, comme inexorablement. Après le lycée, je me suis inscrit à l'université, dans la même ville, à Amiens, et notre incompréhension mutuelle a atteint des niveaux inédits.

Il y a des séparations plus brutales que des ruptures : on ne s'était pas disputés plus que les autres fois elle et moi, il n'y avait pas eu de cris, ni de claquements de porte, simplement on ne trouvait plus rien à se dire. Ces quelques fois où je lui parlais au téléphone je l'écoutais et j'en concluais que sa vie était fixée pour toujours, d'avance : ses allers-retours à l'épicerie du village, la préparation des repas, ses enfants qui reproduisaient sa vie, l'ennui de la campagne, la méchanceté de mon père avec elle. Elle n'avait qu'une quarantaine d'années mais plus rien ne pouvait arriver. Et c'est justement au moment où j'ai formulé cette idée en moi que tout a changé.

IV

Une nuit, l'année d'après ma presque-mort, un autre appel sur mon téléphone. Sa voix a résonné dans l'obscurité autour de moi : « Ça y est. Je l'ai fait. » Je lisais sur le canapé et j'avais été surpris de voir son numéro s'afficher. Elle parlait vite, la voix essoufflée, avec l'excitation d'une adolescente. Elle était ma mère mais soudainement elle était plus jeune que moi.

J'ai tout de suite compris de quoi elle parlait et j'ai répondu, dans l'excitation moi aussi : « Raconte ! Comment ça s'est passé ? » Elle a repris son souffle : « Comme d'habitude il rentrait pas, tu le connais. Bon. Il était parti depuis je sais pas quelle heure et j'avais fait à manger, je l'attendais. Mais là je me suis dit : C'est fini. Je l'attends plus. Je l'attendrai plus jamais. J'en ai marre d'attendre. »

(J'étais fier de toi. Est-ce que je te l'ai dit ?)

Elle a continué, « Alors j'ai mis toutes ses affaires dans des sacs-poubelle et je les ai balancés sur le trottoir. Comme ça. Je pouvais plus m'arrêter. Il est rentré et il a essayé d'ouvrir la porte mais j'avais tout verrouillé. Il a tapé contre les murs, contre les fenêtres, il a crié. Je le connais, à mon avis il savait très bien ce qui se passait. Moi je lui ai dit à travers la porte de plus jamais revenir. Il m'a demandé, Plus jamais ? Et j'ai répété, Plus jamais. Il a pleuré, mais je me suis dit Tu cèdes pas. Tu cèdes pas. C'est fini de céder ».

Elle parlait comme si elle me racontait le déroulement d'une évasion ou d'un cambriolage qu'on aurait élaboré tous les deux, patiemment, secrètement, pendant des mois et des années.

Depuis que je ne vivais plus avec elle je ne voyais plus que de la violence dans sa vie. Dans mon nouveau monde les femmes n'étaient pas traitées comme ma mère l'était et comme elle l'avait été, ou comme d'autres femmes du village l'étaient. Je n'avais jamais vu un homme insulter sa femme devant les autres à Amiens, je n'avais jamais vu de visages tuméfiés comme celui de ma sœur après ses disputes avec l'homme qui vivait chez elle, ou comme le visage d'Angélique après ses disputes avec mon frère. Je ne connaissais personne au lycée ou à l'université qui aurait pu dire comme moi je pouvais le dire : Ma sœur reçoit des coups de l'homme avec lequel elle vit et mon frère donne des coups à la femme avec laquelle il vit.

(Bien sûr la violence existait à l'encontre des femmes à Amiens aussi, mais pas la même, et, si c'était le cas, pas de manière aussi systématique.)

C'était comme si, au contact des corps de la bourgeoisie à Amiens, je m'étais mis à voir le monde de mon enfance, après coup, *a posteriori*, par l'écart entre les mondes. J'avais appris à *voir* la violence, de par l'éloignement avec elle, et je la voyais partout.

Je pensais qu'elle devait accélérer. Quand je lui parlais, les quelques fois où je le faisais depuis mon départ du village, j'encourageais ma mère à quitter mon père. Je lui disais qu'elle ne pouvait pas gâcher sa vie avec un homme qui la rendait malheureuse et qui l'humiliait. Elle me répondait « Je vais le faire, je veux le faire mais pour l'instant je ne peux pas, c'est trop difficile avec tes frère et sœur ». *(Je ne me rendais pas compte que c'était vrai, je ne voyais pas ces difficultés qui se présentaient à toi.)* J'insistais, je lui répétais qu'elle ne devait pas attendre, que l'urgence était celle de sa liberté, qu'elle verrait plus tard pour mes frère et sœur, et elle me répondait, « Oui, bientôt, tu verras, bientôt ».

Cette nuit où elle a fini par le faire, donc, quand elle m'a appelé, elle a conclu son récit d'une voix triomphale et crâneuse : « Tu vois, je t'avais dit que je le ferais. Je l'avais déjà fait avec mon premier mari, je pouvais le faire une deuxième fois. Je savais que je pouvais le faire une deuxième fois. »

Notre éloignement nous avait rapprochés.

C'est étrange, tous les deux nous avions commencé notre vie comme perdants de l'Histoire, elle la femme, et moi l'enfant dissident, monstrueux. Mais comme dans une équation mathématique, un retournement parfaitement symétrique des choses, les perdants du monde qu'on partageait sont devenus les gagnants, et les gagnants, les perdants. Après la rupture, l'état de santé de mon père s'est dégradé. Il s'est retrouvé isolé, plus pauvre encore que quand il vivait avec elle. Lui qui avait tout le pouvoir sur nous dans la première partie de sa vie s'est retrouvé destitué de tout, le malheur n'a plus jamais disparu de son visage. Tout ce qui était sa force est devenu sa faiblesse : l'alcool qu'il avait bu pendant toute sa vie avait abîmé son corps, son refus de se soigner pendant toute une vie, quand il disait que les médicaments étaient bons pour les femmes, avait affaibli ses organes, ses années de travail à l'usine puis comme balayeur, quand il disait que c'était à l'homme de ramener l'argent au foyer, lui avaient broyé le dos.

Ma mère, elle, s'est mise à me téléphoner plusieurs fois par mois. Elle me disait : « Si tu voyais comme je suis libre maintenant ! Tu me reconnaîtrais pas. »

La fois où elle a reçu le courrier multicolore – j'avais douze ans. À l'intérieur de l'enveloppe il y avait une lettre, directement adressée à elle, avec son prénom dessus : CHÈRE MONIQUE, VOUS AVEZ ÉTÉ SÉLECTIONNÉE POUR UN TIRAGE AU SORT EXCEPTIONNEL. RÉPONDEZ À CE COURRIER ET VOUS GAGNEREZ PEUT-ÊTRE LA SOMME

INCROYABLE DE 100 000 Euros. Nous nous sommes regardés tous les deux, les yeux écarquillés. Elle a fait une moue avec ses lèvres et elle m'a dit, Ça a l'air vrai non ? Si c'était de l'arnaque ils auraient pas mis mon prénom. Ils auraient pas pu le savoir. Je lui ai dit que j'étais d'accord avec elle, j'étais convaincu par son raisonnement, et je l'ai encouragée à répondre. Pendant qu'elle remplissait le formulaire à côté de moi je pouvais sentir l'adrénaline monter en nous deux. Elle remplissait les cases une par une avec soin, nom, prénom, adresse, je la voyais s'appliquer à faire des boucles sur les L et sous les J, essayer de produire l'écriture la plus belle et la plus appliquée possible. Entre deux cases elle relevait la tête vers moi et elle chuchotait, Imagine on gagne les cent mille ! Elle m'a fait promettre de ne rien dire à mon père. Elle savait qu'il se fâcherait s'il l'apprenait et je lui ai juré que bien sûr je ne lui dirais rien, j'étais heureux de pouvoir lui cacher quelque chose avec son consentement à elle, comme si j'entrais dans le monde des adultes.

Quelques jours plus tard j'ai ramassé le courrier qui venait d'arriver et j'ai reconnu dans le tas une nouvelle enveloppe colorée. J'ai couru vers elle, je hurlais Oh mon Dieu Oh mon Dieu Oh mon Dieu Oh mon Dieu. Elle a ouvert l'enveloppe, ses doigts tremblaient. La lettre disait, VOUS ÊTES PLUS PROCHE QUE JAMAIS DES 100 000 Euros, MONIQUE ! Envoyez un chèque de 5 euros pour avoir deux fois votre nom dans l'urne du tirage au sort et ainsi multiplier vos chances de GAGNER. Elle a mordu sa lèvre inférieure du bout des dents, Ça vaut le coup non ? Si on gagne cent mille ça vaut le coup de perdre cinq. Je secouais la tête comme un fou, Oui, oui, fais-le. Elle a envoyé le chèque et quelques jours plus tard nous avons reçu un nouveau courrier qui nous demandait un nouveau chèque pour peut-être gagner un grand écran de télévision, un écran plat haute définition EN ATTENDANT LE GRAND TIRAGE AU SORT. Nous l'avons envoyé, et puis un autre, et puis un autre encore. À chaque nouveau courrier je sentais mon rythme cardiaque s'emballer, mais après la quatrième ou cinquième lettre qui demandait encore un chèque elle a compris, et j'ai compris avec elle, que tout n'avait été qu'une arnaque. Elle a soupiré, Bon bah je crois bien qu'on s'est fait avoir. Ou alors on a mal lu c'est eux qui nous demandaient cent mille euros en chèques de cinq. J'ai rêvé encore quelques jours de ce que notre vie aurait pu être avec ces cent mille euros et puis je n'y ai plus pensé.

Une hypothèse : ce que je crois, c'est que s'il n'y avait pas eu notre rapprochement ces dernières années, ce rapprochement qui a commencé par notre éloignement, je ne me serais pas souvenu de cette histoire. C'est parce que notre relation a changé que je peux maintenant voir notre passé avec de la bienveillance, ou plutôt, faire renaître les fragments de tendresse dans le chaos du passé.

Notre rapprochement n'a pas seulement changé son avenir, il a aussi transformé notre passé.

*

Elle a cherché un emploi. Il fallait qu'elle compense la perte d'argent entraînée par sa rupture avec mon père et elle a recommencé à faire la toilette des personnes âgées du village. Elle insistait : « Je ne suis pas femme de ménage, attention, je suis aide à domicile, c'est presque comme infirmière. »

Importance des différences minuscules, peur d'être au plus bas de l'échelle sociale, volonté de ne pas faire partie des professions les plus dévalorisées socialement, ces métiers dont les noms évoquent immédiatement la misère et la pauvreté : femme de ménage, caissière, éboueur, balayeur.

Certains jours, la terreur des petites différences se transformait en colère : « Les infirmières elles se prennent pour je sais pas quoi avec leur diplôme elles font les fières mais au fond je fais la même chose qu'elles, j'en fais même beaucoup plus. »

Et même, elle se plaignait de ne pas trouver assez de travail. Ce travail qu'elle avait détesté quand elle vivait avec mon père, parce qu'il était une composante de sa vie subie, devenait soudain l'un des instruments de sa libération. Tous les mots, toutes les réalités changeaient de sens.

Elle avait quitté mon père depuis plusieurs mois déjà et elle vivait avec mon petit frère et ma petite sœur dans un logement social à la lisière des champs où elle avait été relogée par les services sociaux. Elle me racontait, enthousiaste : Il y a des chambres en haut ! Tes frère et sœur ont chacun leur chambre.

Elle se vantait : Tu vois comme je suis débrouillarde, j'ai trouvé un logement social tout de suite. C'est pas ton père qui aurait su faire ça !

Comment le dire sans être naïf ou sans avoir l'air d'employer une expression toute faite, idiote : J'étais ému de te voir heureuse.

Comme toutes les métamorphoses, la suite de la sienne s'est nouée dans une rencontre. La rencontre a eu lieu un soir, chez une amie du village qui l'avait invitée pour son anniversaire. Le frère de cette amie était là, ma mère ne l'avait jamais vu ; il vivait à Paris où il était gardien d'immeuble.

Il a tenté de séduire ma mère pendant toute cette soirée et elle n'a pas essayé de résister, au contraire, elle voulait une aventure et elle l'a encouragé à continuer, mais elle l'a prévenu : Je ne me laisse plus faire par les hommes !

Ils se sont revus. Il aimait le caractère rieur et festif de ma mère, sans se douter que cette personnalité venait à peine d'éclore, que pendant vingt ans elle avait été étouffée.

Il lui a demandé d'emménager avec lui à Paris mais elle refusait. Elle voulait être sûre de le connaître, « Je me suis déjà fait avoir par deux hommes, ça ne marchera pas une troisième fois ! J'aime trop ma liberté. Je l'ai, je la lâche plus ».

Ils se sont rapprochés, elle a compris qu'il ne serait pas comme mon père ou comme son premier mari : « Avec lui c'est moi qui commande. C'est moi qui fais la loi. »

Dans sa vie, l'amour avait toujours été un espace dans lequel on commandait ou dans lequel on était commandé, pas un espace de suspension des rapports de pouvoir.

À la télévision elle avait entendu une chroniqueuse parler de sa « fierté de femme » et s'est mise à utiliser cette expression pour expliquer tous ses choix et ses décisions. À sa manière, elle devenait sujet politique.

Je l'encourageais à abandonner son rôle de mère. Mon petit frère qui avait dix-huit ans vivait toujours avec elle, il n'étudiait pas, ne travaillait pas, il continuait de passer plus de dix heures par jour sur sa console de jeux.

Ma mère soupirait, « Je peux pas l'emmener avec moi à Paris, mais je veux pas non plus le laisser tout seul. Je suis pas comme les mères qui abandonnent leur gosse ».

Je lui disais qu'elle ne devait penser qu'à elle, que même s'il était son fils, il était un homme et qu'elle ne pouvait pas laisser un homme de plus lui gâcher la vie. Je venais de le comprendre, un fils face à sa mère, même s'il est un fils, reste un homme face à une femme.

Elle hésitait, « Oui, mais qu'est-ce qu'il va faire ? Je peux pas laisser mon gosse tout seul ». Elle était tentée par l'appel de la liberté mais elle se sentait encore responsable. J'insistais, « Mon frère se débrouillera. Tu as gagné le droit d'être égoïste maintenant ».

Un an plus tard, elle est partie vivre à Paris[1] où j'habitais aussi, et où je continuais mes études commencées à Amiens. Quand je suis allé la rejoindre pour la première fois dans cette rue où elle venait d'emménager, je n'en revenais pas de la personne qu'elle était devenue, celle que j'avais en face de moi. Rien en elle ne ressemblait à la femme qui avait été ma mère. Son visage était maquillé, ses cheveux colorés. Elle portait des bijoux. L'éloignement de quelques semaines avec le village et avec ce qui avait

1. Elle a eu raison, non seulement pour elle mais pour mon frère aussi. Une métamorphose en entraîne d'autres. Après son départ il a trouvé un logement, des amis, de nouvelles occupations. Il m'a dit un jour Je suis transformé, j'étais devenu un zombie.

été sa vie pendant trop longtemps avait suffi à transformer radicalement son apparence. Elle a vu la surprise dans mes yeux et elle m'a dit – comme toujours, théoricienne d'elle-même : « Tu vois, je ne suis plus la même ! Je suis une vraie Parisienne maintenant. » J'ai souri, « Oui, c'est vrai. C'est vrai, tu es la reine de Paris ».

Elle m'a pris dans ses bras et elle m'a embrassé sur la joue.

Jusqu'à ta rencontre avec Catherine Deneuve. J'étais devenu écrivain et j'avais été invité à assister à un tournage où elle était présente. À un moment, un homme derrière moi a annoncé une pause et il m'a demandé si je voulais parler à Catherine Deneuve. J'ai dit oui et je l'ai suivi ; quand je me suis trouvé face à elle, à cause de la peur de lui parler j'ai cherché consciemment une phrase, quelque chose à dire qui ne serait ni trop sérieux ni trop futile, et j'ai pensé à toi, toi qui à la fois l'admire et à la fois n'aurais pas pu avoir une vie plus différente. Je lui ai dit que tu vivais près de chez elle ; j'avais pensé que c'était une anecdote légère, qui m'évitait les généralités ou les banalités sur la politique et l'actualité.

Catherine Deneuve a haussé les sourcils ; je voyais qu'elle était surprise et je lui ai parlé de ta métamorphose, de ton arrivée à Paris chez ton compagnon gardien d'immeuble. Elle souriait, et entre deux bouffées de cigarette elle m'a dit qu'un jour elle te rendrait visite.

Quelques jours plus tard, tu m'as appelé, « Devine avec qui je viens de fumer une cigarette !!!!! Catherine Deneuve !!!! ».

Je n'avais pas pensé qu'elle le ferait. J'avais pensé qu'elle avait dit qu'elle viendrait te voir par politesse, pour trouver quelque chose à dire, éviter l'embarras d'une première conversation.

Tu me racontais au téléphone que Catherine Deneuve était venue devant chez toi et qu'elle t'avait proposé de fumer et de discuter, « Je regardais discrètement autour de nous pendant la conversation parce que j'espérais que le plus de monde possible me verrait parler avec elle. Je voulais que tout le monde sache que Catherine Deneuve me parlait ».

Je n'avais jamais entendu un bouleversement comme celui-là dans ta voix, comme si cette interaction avec une actrice que tu admirais depuis ta jeunesse avait représenté et condensé tous les efforts que tu avais accomplis pour ta métamorphose. Tu le formulais, les yeux froncés : « Je me suis laissée faire pendant toute ma vie mais maintenant je suis à Paris et je connais Catherine Deneuve. »

À Paris justement elle a commencé à dire de nouvelles phrases, miroirs de sa nouvelle existence, *Je me suis promenée au jardin du Luxembourg aujourd'hui*, *J'ai bu un petit café à la terrasse près de chez moi*.

Je ne sais pas si elle ressentait en elle la révolution que constituait la seule possibilité de prononcer ces phrases, des phrases qu'en arrivant à Paris j'avais associées au monde intellectuel et bourgeois, aux privilégiés, aux *Mémoires* de Simone de Beauvoir, et donc à l'opposé radical de ce qu'elle avait été.

Quand j'évoquais le village avec elle, elle soupirait, « Ah, la mentalité de la campagne ! Je pourrais plus jamais vivre à la campagne de ma vie maintenant que je suis en ville, ça c'est sûr ».

Tout à coup, le bonheur lui a donné une jeunesse. Elle qui quand on vivait ensemble n'avait évoqué ce moment de sa vie que les trois ou quatre fois où je l'avais vue ivre, presque par accident, elle a commencé à me faire de longs récits, comment elle allait en boîte avec ses amies à l'adolescence, avant son mariage à dix-huit ans, comment elle avait rencontré un de ses meilleurs amis là-bas, sur la piste de danse, qui était *comme moi*, c'est-à-dire homosexuel.

Je ne comprenais pas pourquoi elle ne me l'avait pas dit avant, dans mon enfance, à l'époque où je voulais mourir d'être ce que j'étais, parce que je me sentais malade et anormal.

Je l'écoutais me raconter ces nouvelles histoires et je repensais à la femme qui avait été ma mère, les années au village,

Quand elle traversait les rues sur son vélo, la silhouette effacée par le brouillard, son corps encerclé par les murs de brique, encerclé par le gris du Nord,

Quand elle portait son manteau rouge trop grand pour elle, parce qu'il avait appartenu à mon père et qu'elle n'avait pas les moyens d'en acheter un autre, les manches qui faisaient disparaître ses mains, la capuche qui dissimulait son regard

Quand elle savait que les femmes du village réunies sur la place de la mairie tous les jours se moquaient d'elle à cause du manteau trop grand, mais qu'elle disait qu'elle s'en foutait

Quand ces femmes et leur méchanceté étaient son seul horizon

Quand, l'après-midi, elle s'endormait devant la télé après avoir fait le ménage, la maison totalement silencieuse, l'odeur des produits ménagers et de l'humidité qui flottait sur son silence

Quand elle avait disparu dans la vie domestique

Je suis esclave de cette baraque

Quand elle me donnait des coups de poing, emportée par la colère, et que je voyais que chaque coup qu'elle donnait lui faisait du bien (une ou deux fois dans toute l'enfance)

Quand elle toussait à cause de la cigarette

Quand elle criait

Quand elle marchait

Quand elle rêvait

Quand elle se plaignait que mon père ne lui offre que des produits électroménagers, des aspirateurs, des friteuses pour ses anniversaires

Je suis quand même pas qu'une boniche

Quand je pensais : Je ne la connais pas

Quand elle me détruisait

Quand elle me disait, entre dégoût et agacement *Tu peux pas être un peu normal de temps en temps ?*

Quand elle m'ordonnait d'aller demander un paquet de pâtes à ma tante parce qu'on n'avait plus rien à manger

Quand elle levait les épaules et qu'elle disait, Quelle vie de merde qu'on a

Quand elle riait quand même

Quand elle parlait d'Angélique les larmes aux yeux

Quand elle disait qu'elle aurait aimé être lesbienne pour vivre une vie sans hommes

Quand elle souffrait

Quand elle recevait des convocations judiciaires pour mon grand frère

Quand elle répétait, encore, Quelle vie de merde qu'on a

Quand elle souffrait

Elle a vu la surprise dans mes yeux et elle m'a dit : « Tu vois, je ne suis plus la même ! Je suis une vraie Parisienne maintenant. » J'ai souri, « Oui, c'est vrai. C'est vrai, tu es la reine de Paris ».

La libération continuait. Elle vivait sa nouvelle existence depuis six mois. Les après-midi où je la retrouvais, une fois tous les mois ou tous les deux mois, elle apparaissait toujours avec des nouveaux vêtements, souriante. Ce n'était pas des vêtements de bonne qualité ou particulièrement luxueux mais peu importe, elle était heureuse d'être devenue une femme qui s'achetait des vêtements, de faire, comme elle le disait elle-même, *ce que font toutes les autres femmes* : se maquiller, prendre soin d'elle, se coiffer.

Pour certaines personnes, l'identité de femme est évidemment une identité oppressante ; pour elle, devenir femme avait été une conquête.

Un soir de cette nouvelle vie, je l'ai emmenée dans le bar d'un hôtel de luxe, d'un palace même, pour lui faire plaisir. Je suis entré avec elle et nous nous sommes assis à côté d'une immense cheminée. Une femme a pris nos manteaux, un homme avec une serviette blanche suspendue à son bras nous a servis. Je voyais qu'elle était tendue et qu'elle avait peur de faire un faux pas. Elle a commandé le même cocktail que moi, elle regardait mes gestes et mes attitudes. Elle les imitait, sans doute avec l'idée que moi, je connaissais ce monde et ces codes. Elle répondait par « Tout à fait tout à fait, absolument absolument » à toutes mes phrases, elle jouait un rôle. Pourtant, c'est là où je voulais en venir, je voyais par-dessus tout sa joie de vivre ce moment, d'être dans ce temple du luxe, et donc de voler une vie qui n'aurait pas dû être la sienne. Elle disait en plissant les yeux, « On s'en sort quand même bien nous deux ». À la fin du verre, quand je l'ai raccompagnée en bas de chez elle, elle m'a dit « On pourra le refaire bientôt ? J'ai envie de m'amuser ! ».

Une autre fois, je l'ai invitée à dîner pour son anniversaire dans un restaurant au sommet de la tour Montparnasse. J'avais dit à mes amis la veille que j'avais peur qu'elle soit intimidée par le lieu et qu'elle s'empêche d'en profiter – c'était arrivé avec mon père l'année d'avant, je l'avais invité dans un restaurant de viandes grillées parce que je savais que c'était ce qu'il préférait, mais quand il avait ouvert la carte il avait refusé de prendre les meilleurs plats, ceux que je lui conseillais, choqué par les prix indiqués. Il avait demandé un simple steak haché, le plat le moins cher du restaurant, en répétant qu'il ne voulait pas que je dépense trop d'argent. J'avais peur que ma mère reproduise la même chose mais quand le serveur nous a donné les cartes, elle a choisi le foie gras, le homard, elle m'a proposé de boire du champagne, On se boit une coupette ? Elle ne voulait pas perdre cette chance de vivre une autre vie.

Roland Barthes : « Son rêve (avouable ?) serait de transporter dans une société socialiste certains des charmes [...] de l'art de vivre bourgeois. S'oppose à ce rêve le spectre de la Totalité, qui veut que le fait bourgeois soit condamné en bloc, et que toute échappée du Signifiant soit punie comme une course dont on ramène la souillure. Ne serait-il pas possible de jouir de la culture bourgeoise (déformée) *comme d'un exotisme* ? »

Ces soirs dans le palace ou au sommet de la tour Montparnasse, c'est cet exotisme que j'ai partagé avec elle.

Qu'est-ce que changer veut dire ?

Il y a dans ce que je connais d'elle aujourd'hui des dizaines d'images et de faits qui contredisent l'histoire simple d'une métamorphose heureuse. Elle n'a jamais visité d'autres pays que la France, elle continue d'acheter la nourriture dans les supermarchés pour les pauvres à la périphérie de Paris, elle ne gagne pas d'argent et elle dépend donc en partie de cet homme avec qui elle vit, elle n'arrive pas à se lier avec les gens de son quartier, les femmes de la bourgeoisie dans sa rue qui la regardent avec condescendance. Elle admet : Il y a des jours où je m'ennuie, j'ai pas d'amis ici. Ici les gens sont pas comme nous.

Est-ce qu'un changement est quand même un changement s'il est circonscrit à ce point par la violence de classe ?

Et pourtant. Pourtant elle est heureuse. Elle me le répète. Je ne sais plus quoi ou comment penser. Peut-être que la question n'est pas de savoir ce que changer veut dire, mais ce que le bonheur veut dire. Je ne trouve pas de réponse, mais je sais que son existence aujourd'hui, ce qu'elle est devenue, me force à affronter la question.

Elle a changé de nom de famille, comme moi. Elle ne voulait plus s'appeler Bellegueule, le nom que j'avais porté à la naissance et que j'avais partagé avec elle, un nom lourd, populaire. Elle s'est choisi un nom de famille composé à partir du nom de jeune fille de sa mère et de celui de son père adoptif. Quand elle m'a montré sa nouvelle carte d'identité elle m'a dit « Ça fait noble non ? ».

Elle a acheté des romans d'amour dans les supermarchés. Elle ne voulait plus regarder la télé, elle qui l'avait regardée tous les jours pendant mon enfance. « La télé c'est vraiment con. »

Elle a conjugué sa vie au futur pour la première fois : « Dans dix ans quand il – son compagnon – ne travaillera plus on achètera une caravane et on vivra dans toute la France, on voyagera. J'ai toujours rêvé d'une vie de voyages. »

Un dernier souvenir. Il y a quelques mois, dans le jardin d'un salon de thé où je lui avais proposé de me rejoindre, elle m'a raconté que quand j'avais six ans elle avait été convoquée par mon institutrice. L'institutrice voulait lui dire

– c'est en tout cas ce qu'elle prétend – qu'elle trouvait mon comportement différent de celui des autres enfants, que j'exprimais des rêves et des désirs trop grands, des ambitions anormales pour un enfant de mon âge. Elle disait que les autres enfants voulaient devenir pompiers ou policiers, mais que je parlais de devenir roi ou président de la République, que je jurais qu'une fois adulte j'emporterais ma mère loin de mon père et que j'achèterais un château pour elle.

J'aurais aimé que ce récit d'elle constitue, en quelque sorte, la demeure dans laquelle elle puisse se réfugier.

Pour les citations au fil du texte :